BRAVO!

_____

est capable de lire ce livre!

Catalogage avant publication de Bibliothèque et Archives Canada

Titre: Pat à l'épicerie / James Dean, auteur et illustrateur ; Kimberly Dean, auteure ; texte français d'Isabelle Montagnier.
Autres titres: Pete the cat's trip to the supermarket. Français
Noms: Dean, James, 1957- auteur, illustrateur. | Dean, Kimberly, 1969- auteur.
Collections: Dean, James, 1957- Je lis avec Pat le chat.
Description: Mention de collection: Je lis avec Pat le chat | Traduction de : Pete the cat's trip to the supermarket.
Identifiants: Canadiana 20190209720 | ISBN 9781443180702 (couverture souple)
Classification: LCC PZ23.D406 Pat 2020 | CDD j813/.6—dc23

Édition publiée par les Éditions Scholastic, 604, rue King Ouest, Toronto (Ontario) M5V 1E1, avec la permission de HarperCollins.

5 4 3 2 1   Imprimé au Canada   119   20 21 22 23 24

Conception graphique : Jeanne Hogle

Je lis avec Pat le chat

PAT À L'ÉPICERIE

Kimberly et James Dean
Texte français
d'Isabelle Montagnier

SCHOLASTIC

Pat et Max ont faim.

Ils se sont amusés toute

la journée au parc.

— Papa, peut-on avoir une
collation? demande Max.

Le papa
regarde dans
le frigo.

Il regarde
dans le garde-
manger.

Il regarde dans
la cachette secrète
des collations.

— Nous devons aller
à l'épicerie, dit le papa.

Il commence à faire une liste.
— Il nous faut du lait et des
œufs, du poisson et du poulet.

— Je veux des framboises,
dit Max.

    — Je veux des pommes,
dit Pat.

Pat, Max et leur papa
font une longue liste et
vont à l'épicerie.

Oh non! Le vent arrache
la liste des mains du papa!

— Pas de problème, dit
Pat. J'ai mémorisé la liste.

— Moi aussi, dit Max.

Tout d'abord, ils s'arrêtent dans
l'allée 10, celle des produits laitiers.

— Il nous faut du lait, dit Pat.

— Et du fromage, dit Max.
Celui qui pue.

Ensuite, ils vont dans l'allée 9.

— Miam, dit le papa.

J'adore le bacon!

— N'oublie pas le poulet,
dit Pat.

En passant devant
l'allée 8, Pat se souvient
des œufs.

— Normaux ou géants? demande Pat.

— Géants, répond le papa.

— Cool, dit Pat.

ŒUFS DE DINOSAURE
GÉANTS

Dans l'allée 7, Max n'arrive pas à choisir entre les spaghettis et les macaronis.

— Que penses-tu des
pâtes en forme de papillon?
demande le papa.

— Super, dit Max.

L'allée 6 sent bon les fruits.

— N'oublie pas les pommes, dit Pat.

— N'oublie pas les framboises,
dit Max.

Dans l'allée 5, le papa
mange un hotdog.
Miam!

Dans l'allée 4, Pat mange
un petit gâteau.
Super!

Le papa laisse Pat et Max choisir
une friandise dans l'allée 3.

Pat choisit des craquelins en forme de poisson.

Max choisit du maïs soufflé.

Brrr! Il fait froid dans l'allée 2.

Le papa met des bâtonnets
glacés à la mangue dans le chariot.

Dans l'allée 1, il y a
des tournesols, des tulipes
et des asters bleus.

Pat et Max choisissent des
tulipes pour leur grand-maman.
— Elle va les adorer, dit le papa.

— Je crois que nous avons tout sauf le poisson! dit le papa.

Mais l'auto est remplie de bonnes choses.

Ce sera pour la prochaine fois!